GEMÜT 1

Ein Werkzyklus von
ALESSANDRO CHIODO

mit einem Essay von
NORA WESSEL

PONDERA VERBORUM ART PROJECT

ANNO MMXXIII

m g

l

e

t ü

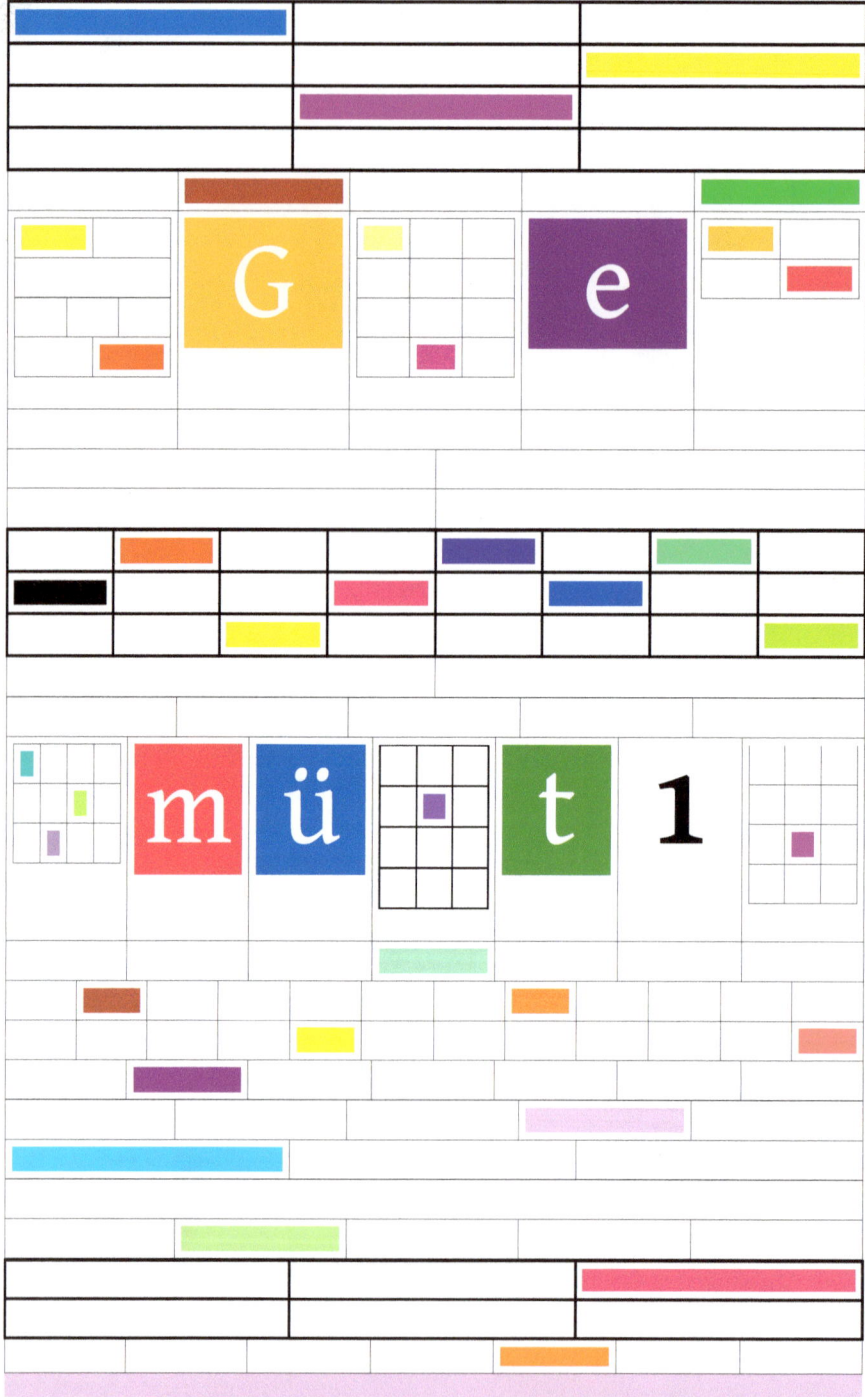

STAND der ZUSTÄNDE

ZUSTAND der GEMÜTER

GESICHTER

AUGEN

SCHÄDEL

Loris
15.02.2021

Die inspirierende Originalzeichnung des Sohnes des Künstlers (15.02.2021)

The flower that you give water every day because you like the colour,
Blue, Yellow, Red.
You know this planet is discoloured, this flower.
But we're not just giving water to our flowers so they don't die.
We need the love, we need the peace, we need the one world, we need the one heart,
We need the one red blood, because that is the colour that we have inside.
Let's stop watching outside, let's watch inside, take a look, it's inside of us.
We are all brothers and sisters, we need peace for all children.
Fatoumata Diawara, Musikerin und Menschenrechtsaktivistin, © YouTube in Concert - 30th Africa Festival Würzburg 2018

Mit seiner Serie Gemüt knüpft Alessandro Chiodo an die archetypischen Formen der Bilderreihe The Weeds an, indem die lineare und organische Darlegung seiner kosmischen Konstruktionen mit den Gemütern eine weitere Metaebene des (Verbunden-)Seins in der Prozesshaftigkeit des Existierens untersucht.

Die Variationen von Totenköpfen verweisen in spielerischer Manier auf das Bewusstsein im Prozess des Menschwerden und des Vergehens als Lufthauch über eine kaum fassbare Zeitschleife. Ausgehend von einer collageartigen Schädel-Zeichnung seines Sohnes, konkretisiert Alessandro intuitiv das Spannungsfeld zwischen Freiheit und Notwendigkeit innerhalb ästhetischer Metabolismen. Auch in dieser Serie entsteht durch die Verwendung von Buntstiften auf Zeichenpapier eine anfassende Unmittelbarkeit, aufgrund deren Präsenz aus der wesenhaften Natürlichkeit seiner konfigurativen Unkräuter-turen Menschenbilder zugleich knöchern und leidenschaftlich entwachsen.

Die Andeutung der Unkräuter über eine schaffende Natur (natura naturans) nach den Prinzipien des Spinoza mündet hier in Überlegungen zum Menschentum im Handeln im Sinne eines radikalen Universalismus, das die Uniformierung und Aushöhlung gesellschaftlicher Existenzhaftigkeiten zu überwinden und zum Prinzip des eigentlichen Seins zu bringen vermag.

Insbesondere in Alessandros Serien kommt das Kunstwerk im Werden (in fieri) zum Tragen, sodass der künstlerische Prozess das Erfahrbare und Erforschende zum Zentrum, gar zum eigentlichen Kunstwerk erhebt. Der Stil ist also das Denken selber, das den Künstler als heimatlosen Geist zum Beobachter und Seismographen exiliert.

"Wichtig, obwohl nicht immer leicht erkennbar, sind in meinen Werken die Staatenlosen, die entwurzelten Menschen, die Heimatlosen, die Ausländer, die Ungeborgenen, die Vertriebenen ... ich selbst bin Ausländer – und nicht nur, weil ich im Ausland lebe, sondern auch weil die Künstler*innen oft ewige Ausländer sind, auf Erden –."
Alessandro Chiodo, © Korrespondenz zu Gemüter und Mut in der Kunst 2023
Mit einem liebevollen Humor widmet sich Alessandro in seiner Kunst immer wieder

den Unzulänglichkeiten und Grotesken der Gegenwart, wobei die Krise des Selbst, die Krise der Identität und der Klassifizierung unzählige Gesichter und Schattierungen eines sich stetig im Wandel begreifenden Selbst schafft. (Lit. Text *Grotesqueries* von Carlo Salzani (Philosoph) 2019)
Neben der Ausleuchtung der Gegenwart werden simultan Themen der Kunstgeschichte verhandelt, gebraucht und verbraucht, sodass sich eine gesamtkünstlerische Gesellschaftskonstruktion ausbildet und Handlungsräume provoziert.

In der europäischen Kunsttradition des Stilllebens, wobei bestimmte inhaltliche, symbolische sowie ästhetische Aspekte inszeniert werden, gilt der in den Vanitasstillleben stets wieder zu findende Totenkopf als symbolträchtig. Als besonderer Bildtypus des Stilllebens, in welchem die Vergänglichkeit betont wird, verweist der Totenschädel auf die Vergegenwärtigung des Lebensendes.
Das Spannungsverhältnis von Leben, präziser Lebendigkeit und Vergänglichkeit als Konstante künstlerischer Auseinandersetzung transformiert Alessandro fortwährend in eine soziokulturelle Performance im Sinne einer Überwindung von "hochkultureller" Kunst hin zu einer Bewusstseinsschaffung. Im Wissen um den Bildgegenstand des Totenschädels rücken die vielgestaltigen Gemüter Lebenswege als immerdauernde Prozesse in einem Kreislaufsystem des Existierens und Seins in den Mittelpunkt sowie die Infragestellung eines kollektiven Wissens beziehungsweise Unwissens über Symboliken, (Bild-)Motive und Kompositionen. (Lit. Text *Die Unwissenheit der Bilder*, Essay von Larissa Ferro 2018)

Die kollektive Vertrautheit instinktiver Assoziationen schafft Impulse für Interaktion und Empathie in Gedankenkonstrukte, die um das Essentielle kreisen in Form eines stetigen Rauschen, das flüstert "No one boards life and avoids turbulences" (Ausstellungstitel, Sabine Bachem, franz* Kultur-Mitte Dorsten 2022). Sabine Bachems Arbeiten kreisen um ein versus von vollkommenen Naturgewalten und vergeblich ordnenden Versuchen des Menschen als Sammler*in, Forscher*in und Restaurator*in.
Hier lassen sich zwei zeitgenössische Positionen in der Verhandlung von kunsthistorischem Sampling in der Gegenwartsanayse vergleichen. In diesem Kontext taucht auch in Sabines Arbeiten der Schädel immer wieder auf. Vergehen, Bewusstwerden und Bewahren werden beobachtet und als ästhetische Prozesse festgehalten, die das Vollkommene natürlicher Kreislaufsysteme mit dem Destruktiven der menschlichen Natur zu harmonisieren suchen.
Als Künstlerin und Welterkundlerin hat sie einem Schlachter mehrere Kuhschädel abgenommen und eigenhändig die Knochen freigelegt. Die Fragmente wurden im Waldboden gebettet, um die Überreste an Sehnen und Muskelgewebe von den Kleinstlebewesen des Waldbodens abtragen zu lassen. Das daraus entstandene Bild hält diesen ästhetischen Prozess fest. (Lit. Text *Sabine Bachem. No one boards life and avoids turbulences* von Nora Wessel @modernperformingart 2022)

Aus dem Paradoxon dieses versus Mensch und Natur greift Alessandro Veränderung und Reflektion als lebenswichtige Handlungsfähigkeiten heraus im Sinne eines radikalen Opponierens, das die künstliche Trennlinie des versus durchbrechen soll.
Die Totenköpfe Alessandros bewahren Wege des Bewusstseins im unablässigen

Wandel als Sein. Als notwendige und unwägbare Zustände verhandeln die Gesichter des Menschtums Zwänge und normative Gewissheiten und fordern deren Überwindung ein.

Es tanzen gesellschaftliche Systeme, es wüten Kulturkämpfe und Außenseiter*innen positionieren ein Recht auf Mitsprache und Umbruch.

Clowns, Punks, Depressive, zaghaft Mutige, schillernde Auflehner*innen, akkurate Skeptiker*innen, zweifelnde Gläubige, desillusionierte Humanist*innen, radikale Provokateur*innen, zurückgezogene Gemeinnützer*innen, wütende Zweifler*innen, leidenschaftliche Realist*innen, streunende Nachtschwärmer*innen, müßige Sonnenanbeter*innen, demütige Kosmonaut*innen, streitende Liebende, versöhnliche Einzelgänger*innen, neurologische Abweichler*innen ...

Ich sehe die Vielfalt des Seins in Ihren Facetten und Abgründen, als Fortschreiten einem bloßen Existieren zu entwachsen, einem ignoranten Opportunismus, der den sogenannten Wahnsinnigen als nüchternen Beobachtenden zurück lässt, der weiß, dass das Gegenteil von Liebe Gleichgültigkeit sein muss.

Die künstlerische Funktion als Wirkmacht transformiert sich aus dieser Vielgestaltigkeit zu unausweichlichen Schrumpfungen im Sinne einer unverfälschten Verbildlichung der Gegenwart, die fluide und wahrhaftige Menschenbilder und eine subtile Sittlichkeit im Umgang miteinander und der Mitwelt postuliert. Ein "ethisches 'Maß' der Kunst" (*Alessandro Chiodo - "The Weeds"* von Francesco Piazza 2023), auch in der Weglassung stilistisch entbehrlicher Strukturen, in der Koppelung an eine avantgarde Radikalität der Kunst, "die uns die Essenz des Lebens in Fleisch brennt" (Dadaistische Manifest 1918), kreiert die notwendige Streitbarkeit, durch die bewusste Handlungen und Werte ein neues Gleichgewicht ausloten können.

Die künstlerische Strategie verortet sich durch die Appropriation der Kunstgeschichte im Kontext einer Infragestellung autoritativer Systeme neodadaistisch und in Annäherung an das Schreiben, sodass das serielle Arbeiten Narrative gestaltet, welche die Phrasen des Zeitgeschehens extrahieren. Die Schädelbasis offenbart die meisterhafte Zeichenkraft Alessandros; eigensinnig durchkreuzen die Buntstiftzüge mit einem Street Art-Charakter implizite Tendenzen einer scheinbaren Vorherbestimmung und führen zu neuen visuellen Wegen.

Diese Wege münden folgerecht in den medialen Darstellungsmöglichkeiten unserer (Selbst-)Bilder zu grotesken Wiederholungen eines Optimums. Mit einer Reflexion über das Selfie wird der Zustand und Stand der Gemüter erfasst. Das Selfie und das Smartphone im Alltag, als Praxis (Regel, Gewohnheit) hat die Dokumentation eines Selbst optimierten Lebens zu einem Katalysator für die Bedeutung eines Scheins gemacht, der mit Ausschnitten und Filtern das Leben zu einem Hochglanzmagazin stilisiert.

Im alltäglichen Konsum dieser Hochglanzmagazine wird das kollektive Wissen ausgeblendet, das in der massenhaften Nutzung dieser Praxis im Alltag liegt, dass es sich um Darstellungsformen und Role Model-Systeme handelt. In dieser paradoxen Obsession liegt ein künstlerisches Potential, ein Moment der Umkehr verborgen, den Alessandro aufgreift und einen selbstironischen Blick auf diese anthropozäne Praktik wirft. Die Verwendung einer "Lamettaperücke" und stark verfremdenden Filtern führt die Möglichkeiten der Überarbeitung, die für gewöhnlich glatte, Sommerhaut stimmungsvolle, den Teint unterstreichende Selbstbilder erzeugen soll, ad absurdum.

Das Selfie mutiert zu überbordenden Konservierungen einer Vorstellung vom Selbst, das den reflexiven Vanitas-Gedanken negiert, das Werden im Vergehen leugnet. Mit der Variation des Selfies, die das Auge fokussiert, verweist Alessandro auf die kunsthistorische Symbolik des Auges für Transparenz und Einsicht und im Weiteren auf das künstlerische Auge, das die Spiegel der Gesellschaft und Zeugen der Dinge, die in der Welt passieren, erfasst und ausdeutet und diesen Blick an die Gesellschaft zurückwirft. Der Blick akzentuiert die Rolle der Augen in der Kommunikation, aus der eine leise Zuversicht aufkeimt, dass das Sein im Zusammenwirken wiedergefunden wird und die Auflösung eines kollektiven Gewissens mit Poesie genährt wird.

Epilog

AugenBlicke

Kaltes Herz
liegst starr in der Brust.
Die pulsierende Wärme
verloren im Frust.

Auf der Straße gehen Gestalten,
Gefühle im Kokon.
Glatte Oberflächen,
geformt aus Spott und Hohn.

Das was sie Seele nannten,
ging verloren im Schwarm.
Das innere Ich verkommen,
klein und krüppelig arm.

Wo wagt sich zarte Liebe?
Tau den Stein in der Brust!
Geh nicht gänzlich fort,
Gib der Hoffnung einen Kuss!

WERKE

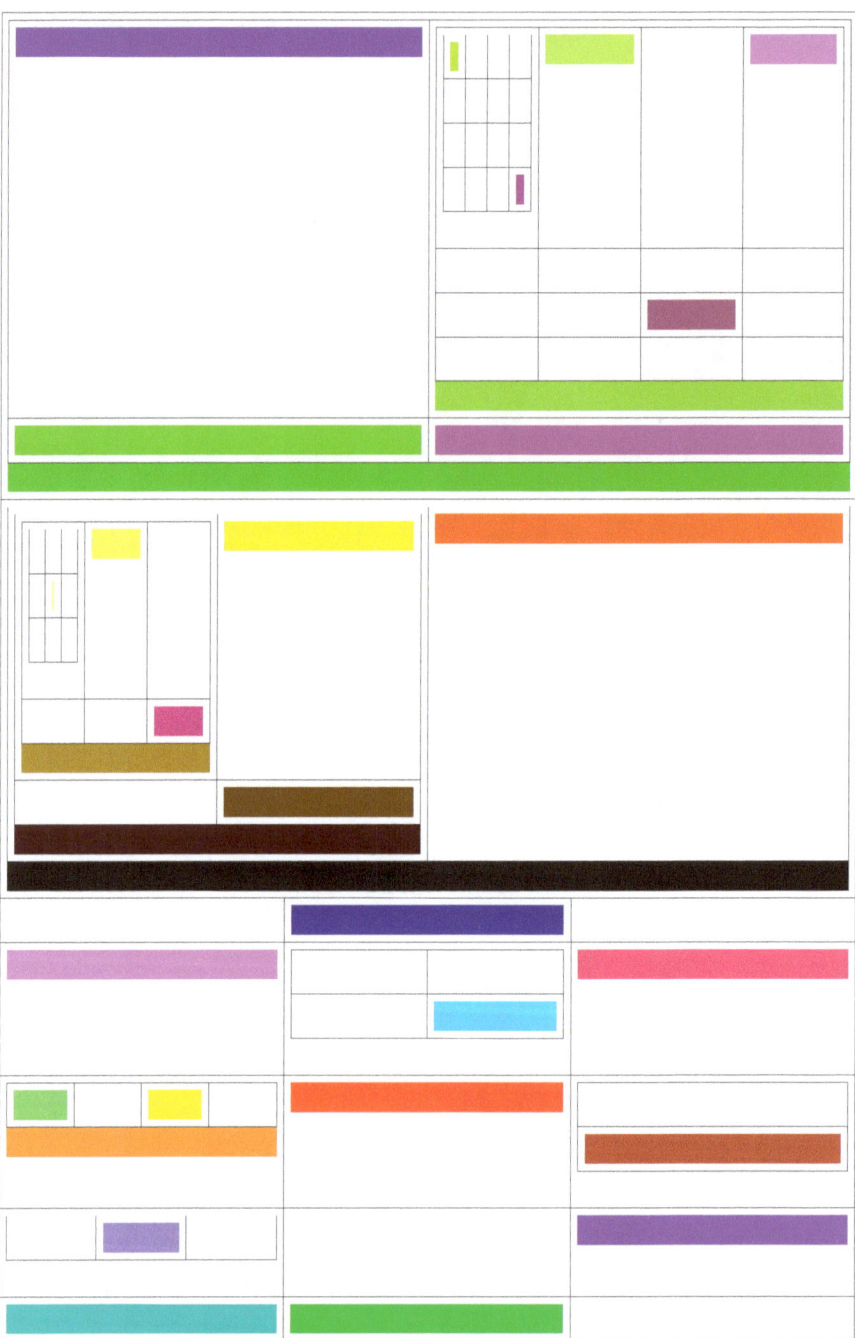

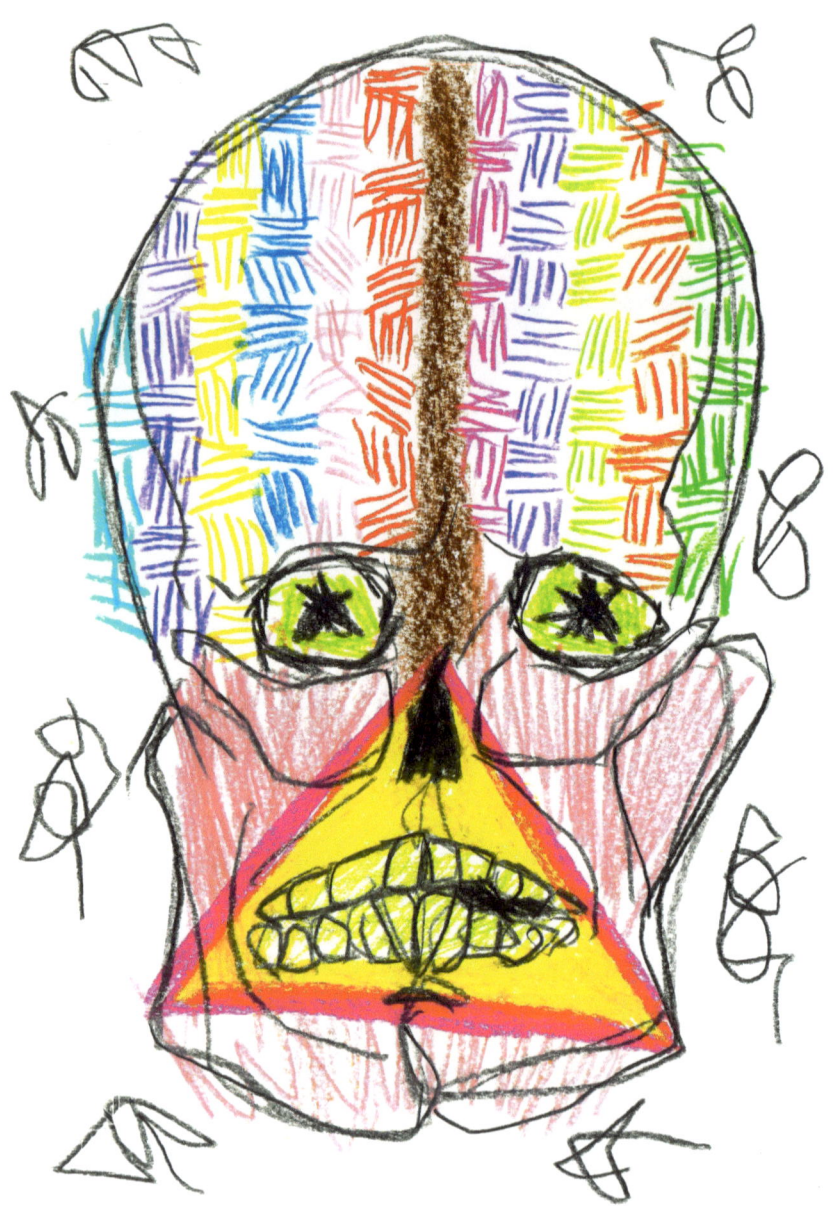

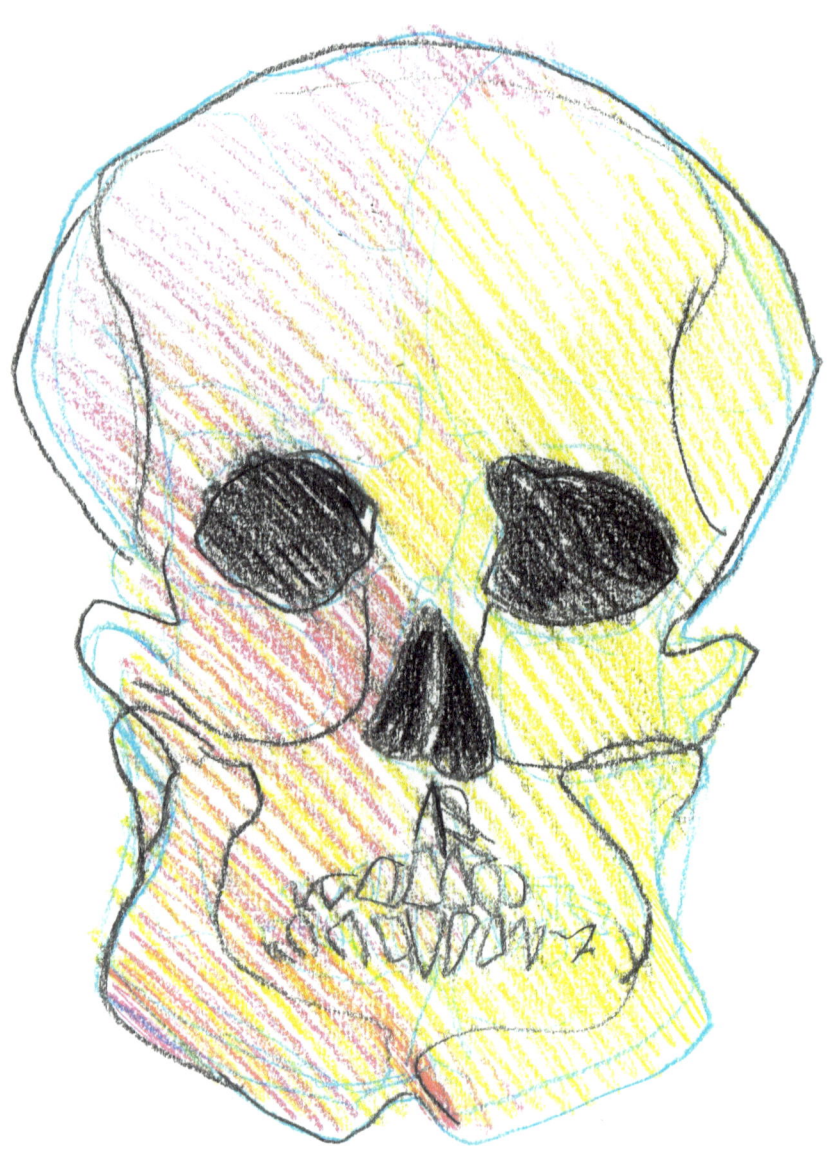

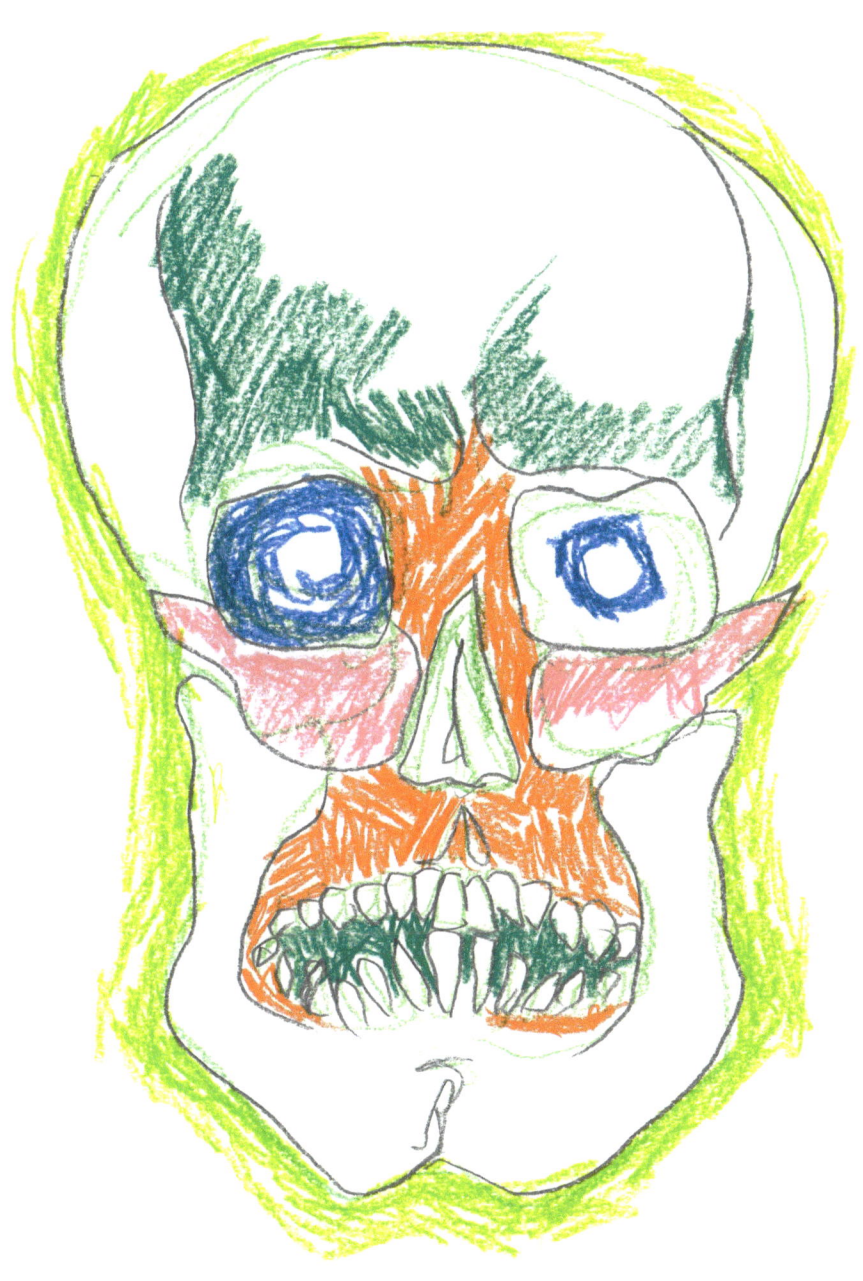

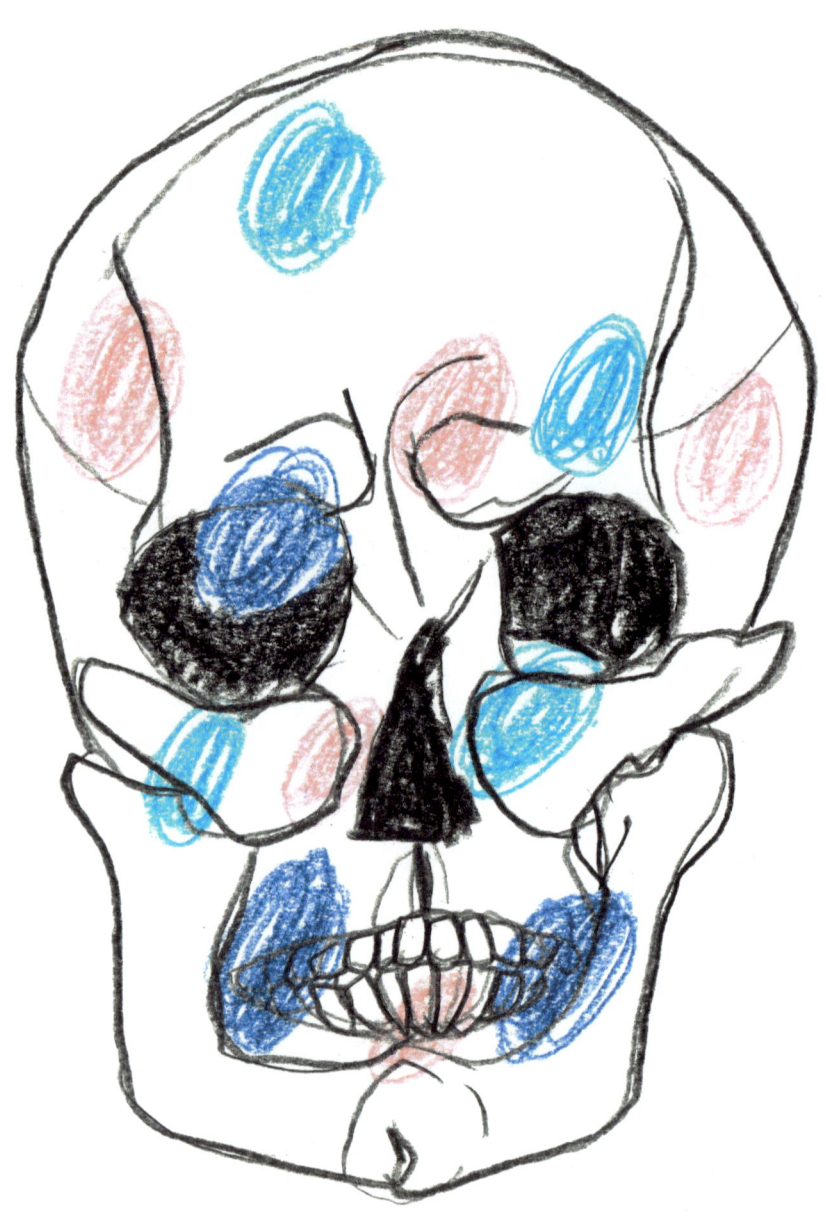

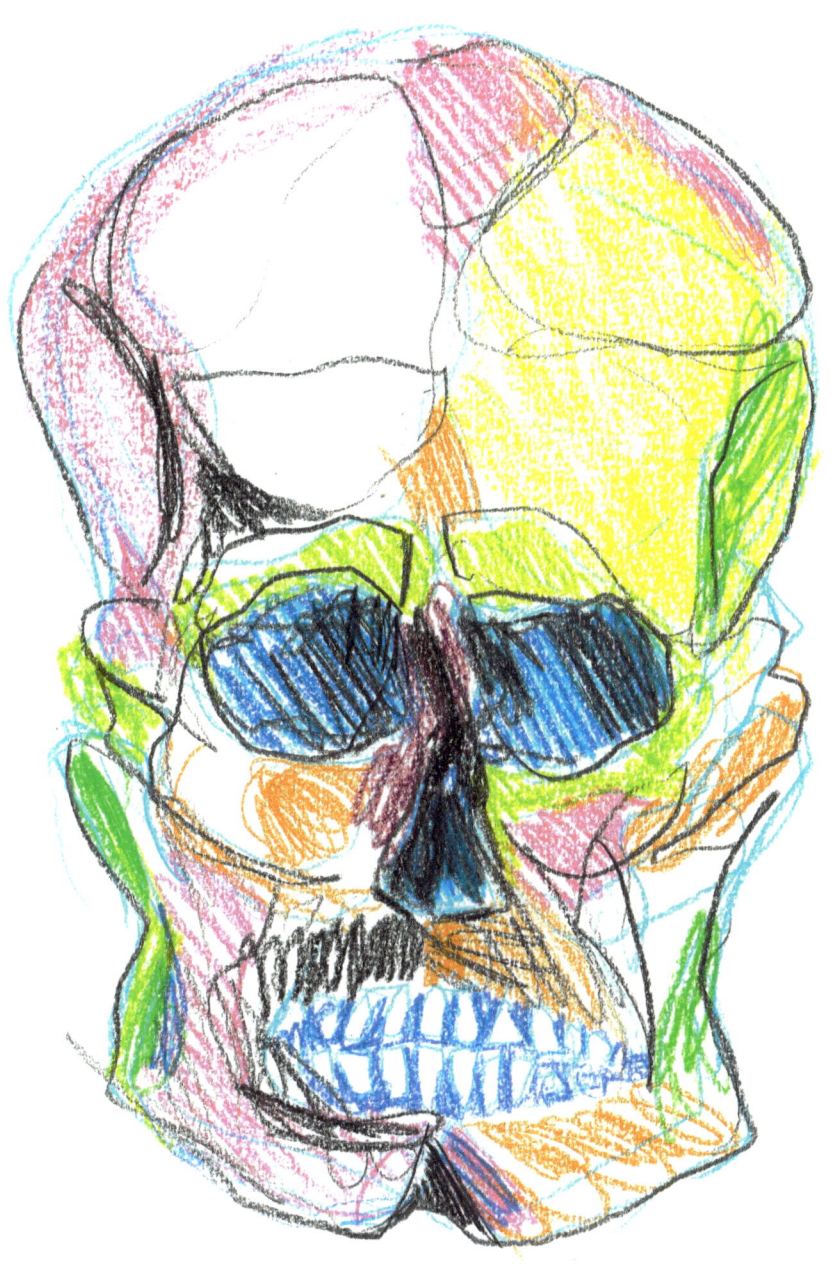

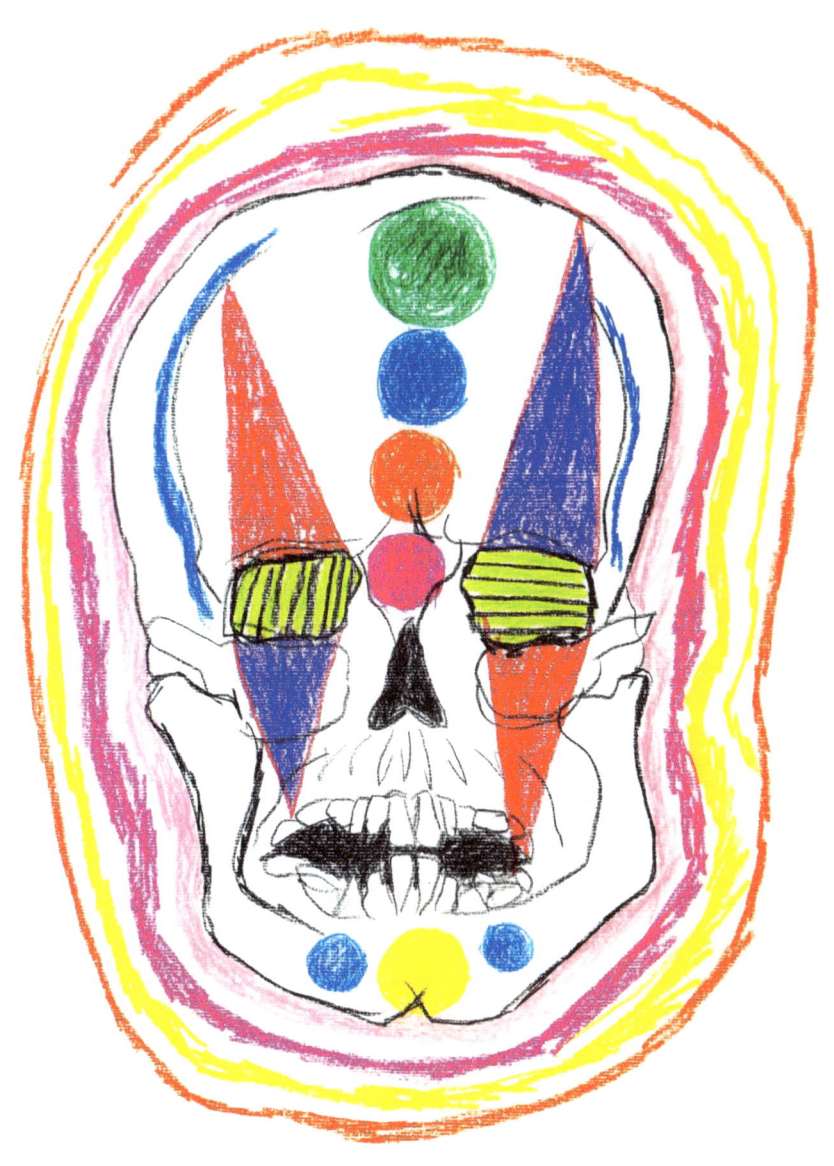

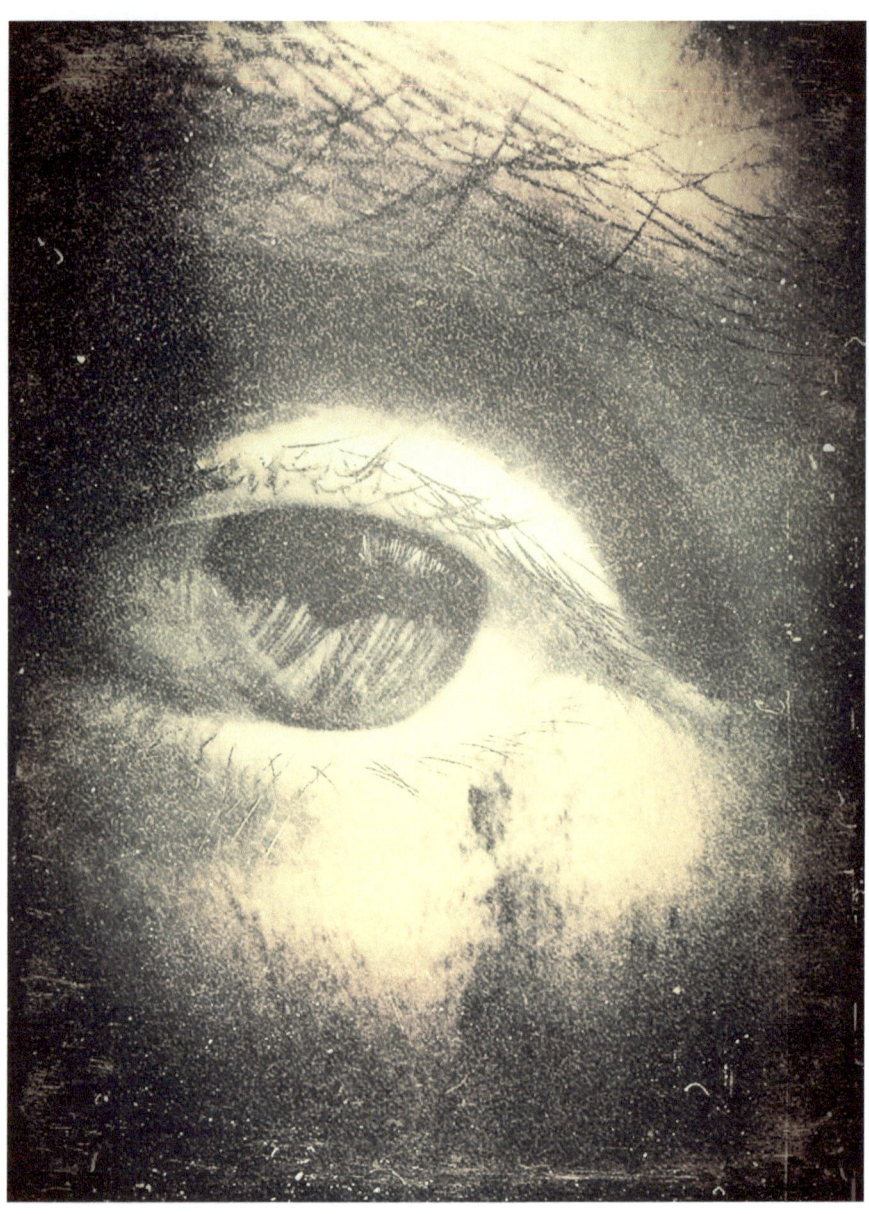

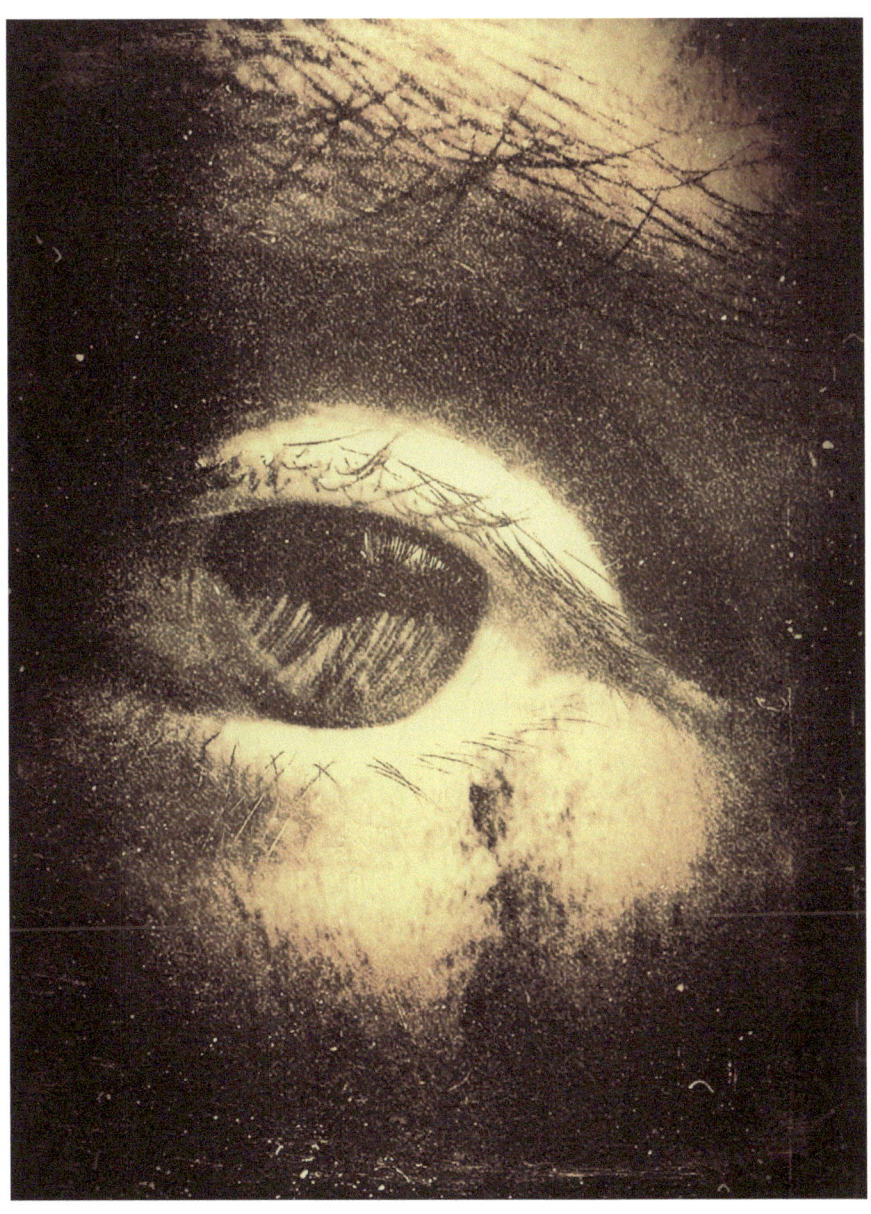

ANHANG

GEDICHTE VON ALESSANDRO CHIODO

IM WALD DER GESICHTER (2017)

Blätter wie Augen
im Wald der Gesichter
wo der Wind kaum weht
und die Lichter des Schattens
auf deinem Bildnis zittern
wie die Wimper des Meeres
wo die stürzende Welle
dein Haar zerzaust
wie vertraute Hand.
Vor deinem Angesicht
erhebt sich die Farbe
des Himmels wo die der Erde
seinen Saum bildet.
Es ist die Nacht deines Werdens
der Morgen deiner Ewigkeit.

SCHWARZ -WEISS (2018)

Schwarz-Weiß ist nicht das Herz
das in dir unermüdet schlägt,
auch nicht der kalte März
der Öffnung bei sich trägt

Es ist gezeichneter Bund
der in dir alles führt,
der gesungene Mund
der die Nacht noch berührt

Bevor du es gehört
ein im Winde blaues Blatt
das dir die Liebe schwört
schrie dir laut Schach & Matt

Schenke ihm keinen Glaub
lieber schau dich doch um
siehe die weiße Taub
und winde nicht herum

dein Porträt ist es nur
das dir ewige Liebe schwur.

ES LACHT UND KRACHT (2017)

Es lacht und kracht
die bunte Nacht,
es spielt und tanzt
der wilde Tag,
es läuten und singen
die schönen Lilien,
auf Feld auf Wiesen
leuchtet die Laterne
ihre frische Wärme.

...DAS BUNTE WORT VOM BAUM ZU PFLÜCKEN (2022)

Der Dichter weigerte sich wohl nicht
das bunte Wort vom Baum zu pflücken,
er schaute das laute helle Licht
und kaute Worte und Torte dicht,
er verlor sich vollkommen im Licht
bevor die Schiffe das Land erblickten
und die Möwen den Wind abknickten,
er schrieb drei Worte mit großem Sinn
bevor der Sinn ihn verliß im Stich,
er sang sie noch laut und schrill
bevor die Stimme ihm entging...
Und der Tag wandte zur Nacht
und die Stille erleuchtete die Pracht
die vom Himmel herab auf sie floss.
Der Dichter weigerte sich wohl nicht
das bunte Wort vom Baum zu pflücken,
er nahm und kostete es und ein Duft
schwebte um ihn herum
wie der stille Ruhm

DEIN GESICHT IST EINE FLAMME (2017)

Dein Gesicht ist eine Flamme
aus einer blauen Blume
die das Leben umkreist
und wild dein Auge zündet.

Der Geist der Erde
in Schweigen gehüllt
von deinem Auge erhellt
umfasst die Ausdehnung
deines verstohlenen Lächelns.

...EINE BLUME IN DEINEM HAAR VERLOREN (2022)

Eine Blume in deinem Haar verloren
lächelt froh zu einer Zauberrune
tief im Schnee kalt und gefroren
träumt sie von Halunken und einer Krume

Brot ist da geflogen
der Zauber ist gelogen
die Blume ist nun gesungen
das Spiel ist nur halb gelungen

Ich weiß Bescheid so geht nicht weiter
ich drehe mich heiter und gehe zur Leiter
ich kenne keine Blume
sehe da keine Rune

Ich werde schlafen, ich sehe den Hafen
Was soll ich nun tun: drehen oder ziehen?
Ich drehe durch, ich ziehe auf
du bist noch da un noch bist du Blume
in deinem Haar habe ich mich nun verloren
und du wanderst auf Wegen auf Bergen
wo die Butter von keiner Blume will hören
aber nur noch und doch von riesen Zwergen

DAS ABENTEUER (2022)

Mein Gedicht stammt aus dem Nichts
und, da ich ja nichts mehr wusste
verlor ich ganz und gar die Pusste

Es war da ein schwebender Löwe
ich dachte es wäre eine Möwe
da es sich nicht so verhielt
erfuhr ich schnell wie bespielt
aus einem alten Tonband
das sich ganz am Rand dort befand
ohne Charme
ohne Scham
ohne Liebreiz
jedoch voll Geiz
dann wollte ich weg von der Wand
und fand einen Sarg hell und bunt
wollte ihn berühren mit der Hand
und doch verbleiben ohne Wund
Alles kann man nicht haben
so fiel ich direkt ins Grab
das aussah wie die Waben
und fand dort ein Gesicht
wohl schmal und schlicht
so sang ich ein zartes Lied:

Ein Lied ist dein kaltes Gesicht
es glüht wie ein brennendes Licht
Fliehen die Zentauren
liegen die, die es bedauern
kommen rasch wie ein Drache
mit Müh und Not
mit Ach und Krach
so das Feuer speiende Fabeltier
taucht aus dem Bach
hell munter und wach
Wusste ich was ist zu tun?
Oder da stand ich wie der Tunfisch?

Und fort und weiter
es ist noch heiter

leuchtend und grell
schrill und fürchtend

Der Straßenwahn hatte keine Bahn
wollte aber schneller rutschen
so wandelte er sich in einer Kutsche
altmodisch, ein Hauch lakonisch
Sie wollte nun ins alte Museum
die Kutsche die nicht rutschte
wo die Gemälde bunt ruhten
wie in einem stillen Mausoleum
wo wuchsen die weichen Blüten

Nein zum Krieg stand auf einer Wand
da verlor ich meinen ersten Band
und die Matratze hatte ich woll vergessen
als ich sah die grosse nackte Fresse
und darauf lag eine liebe Katze
(nicht in der Fresse, auf der Matratze)

Es war in der Tat ein Abenteuer
das verbrannte matt wie ein Feuer
ohne Galle ohne Amouren
es blieb stehen wie die Uhren

ÜBER DEN RAUM DES LEBENS HINAUS (2023)

Der Morgenschädel scheint zu lachen. Er schaut über den Raum des Lebens
hinaus und verliert Erinnerungen in den zarten alten Gezeiten, die sein Herz
orientierten.
Arkan ist das Licht, das in der Ferne aufsteigt, das die Schatten am Horizont
eines Gedankens verschwinden lassen. Dies ist ein vages Abbild eines Blattes, das
vom Wind geschüttelt wird und sanft über deine langen Wimpern der
Erinnerung gleitet. Das Gesicht zeichnet sich selbst und entfaltet sich, indem es
aus einer Hülle orientalischer Aromen und Düfte hervortritt. Die Tür des Auges
öffnet die Sinne für den Wind… und die Realität einer ewigen Gegenwart im
Mutterleib, die der Geschichte entgangen ist, fließt undurchsichtig.

PONDERA VERBORUM art project

ANNO MMXXIII